Olívia em A História

escrito por
Izabel Aleixo

ilustrado por
Eduardo de Amorim Nunes

Pingo de ouro

Copyright do texto © 2022, Izabel Aleixo
Copyright das ilustrações © 2022, Eduardo de Amorim Nunes
© 2022, Casa dos Mundos/LeYa Brasil
Direitos desta edição cedidos para Pingo de Ouro Editores.

Todos os direitos reservados e protegidos pela Lei 9.610, de 19.02.1998.
É proibida a reprodução total ou parcial sem a expressa anuência da editora.

Grafia atualizada pelo Novo Acordo Ortográfico da Língua Portuguesa.

Produção editorial
Carolina Vaz e Ana Bittencourt

Preparação
Carolina Carvalho

Revisão
Tereza Oliveira

Diagramação e capa
Filigrana

Dados Internacionais de Catalogação na Publicação (CIP)
Angélica Ilacqua CRB-8/7057

Aleixo, Izabel
    A história / Izabel Aleixo ; ilustrações de Eduardo de Amorim
Nunes. – São Paulo: Pingo de Ouro, 2022.
    64 p.: il, color

ISBN 978-65-89760-35-1

1. Literatura infantojuvenil I. Título II. Nunes, Eduardo de Amorim

21-5078
                                 CDD-028.5

Índices para catálogo sistemático:
1. Literatura infantojuvenil

Todos os direitos reservados à
PINGO DE OURO EDITORES
Rua Frei Caneca, 91 | Sala 11 – Consolação
01307-001 – São Paulo – SP

*Para Jaggi Vasudev.
E para Leila.*

Olívia ficou sabendo do que ia acontecer.

A mãe lhe contou tudo na sexta pela manhã, antes de ela ir para a escola e, depois da aula, ir para a casa do pai como fazia havia mais de um ano, desde que passara a ter duas casas.

A avó de Olívia, que era a mãe do pai dela e morava numa outra cidade, estava muito doente.

Esses avisos, assim, em cima da hora, que a mãe e o pai costumavam lhe dar ("de agora em diante você vai ter duas casas, Olívia", "seu pai e eu vamos visitar a vovó") a deixavam muito contrariada.

E Olívia ficou preocupada também, mas não foi se olhar no espelho, porque, a essa altura, do alto de seus nove anos, já sabia que as tais rugas de preocupação eram apenas uma expressão.

– A vovó está no hospital?
– Está.
– Por causa do ABC? – perguntou Olívia, se lembrando, mais ou menos, do que ouvira os pais falando.
– É AVC, Olívia, uma doença muito séria – respondeu a mãe, um pouco com vontade de rir, mesmo que o assunto fosse triste.

Entrava ano e saía ano e era sempre a mesma coisa: tinha sempre alguém rindo de algo que ela dizia ou fazia.

– E você vai visitar a vovó no hospital junto com o papai? – perguntou, franzindo um pouco a testa.

– Vou. Seu pai e eu somos amigos, e os amigos se ajudam nas horas difíceis, não é assim?

Olívia ficou calada por alguns instantes e pensou nas vezes em que tinha ajudado o Luís Eduardo, o Flávio e a Carmem e nas vezes em que eles a ajudaram.

Era assim mesmo. A mãe estava certa, mas Olívia gostava de chegar às suas próprias conclusões.

Olívia não conhecia essa avó misteriosa que agora estava doente.

Durante todos os seus nove anos e vários meses de vida, o pai só tinha falado da mãe dele uma única vez, quando contou a Olívia que os dois faziam juntos um bolo de aipim com coco muito gostoso quando o pai era criança.

Mas agora havia uma oportunidade.

– Posso ir junto? – perguntou de repente, mesmo sem saber se queria mesmo conhecer a avó no hospital.

– Não, Olívia, você tem que ir à escola e fazer os deveres de casa.

O mundo era mesmo um lugar muito injusto, pensou Olívia. Criança tem sempre que ir à escola e fazer os deveres de casa e nunca pode bolar uma viagem assim, de surpresa, para deixar os pais sozinhos, sentindo saudades, sem ter em quem mandar.

— Eu queria conhecer a vovó – choramingou Olívia, se lembrando de que o nome dela era Lúcia. Tinha visto esse nome uma vez, na certidão de nascimento do pai.

— Hospital não é lugar para criança.

— Mas eu já tenho quase dez anos! – falou, não se dando por vencida.

— Por isso mesmo. Você só tem nove anos.

Olívia teve a impressão de já ter ouvido isso em algum lugar.

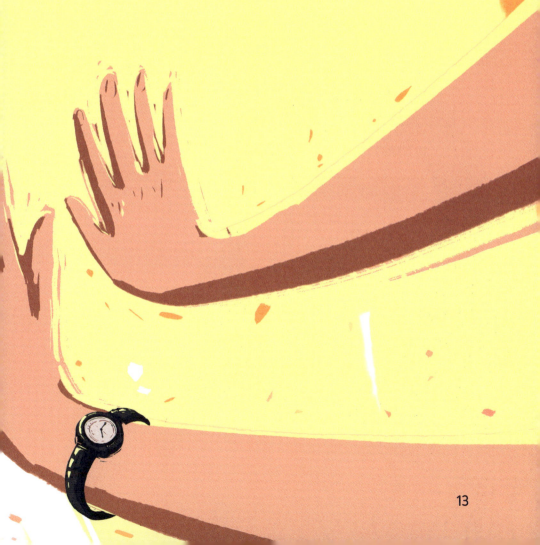

– Enquanto seu pai e eu estivermos fora, você vai ficar com a sua outra avó – decretou a mãe.

– Aaaah, não! – exclamou Olívia, assim que ficou sabendo de mais essa novidade.

Não é que Olívia não gostasse dessa outra avó, como pode parecer, assim, à primeira vista. Ela gostava, e muito, principalmente porque essa outra avó, que ela conhecia muito bem por sinal, era um pouquinho diferente.

A avó de Olívia, que era mãe da mãe dela, insistia que a neta a chamasse pelo nome, Leila, porque dizia que as almas das duas já tinham vivido muitas vidas juntas e que nem sempre elas tinham sido avó e neta.

Eu, hein?!, pensava Olívia, nunca ouvi nada mais esquisito na minha vida toda, mas quando viu que a mãe e o pai não gostavam daquilo, começou a chamar a avó pelo nome, sim. Era um tal de Leila para cá, Leila para lá, que não parava mais.

– Mãe, hoje eu não quero ficar na casa da Leila...
– Da vovó.
– Mas ela disse...
– Nem tudo o que a sua avó diz a gente escreve.
– Tá booom. Hoje eu não quero ficar na casa da vovó – respondeu Olívia, não sem antes pensar que nunca tinha escrito mesmo nada do que a avó dizia. – Quero ir junto com você e o papai conhecer a minha outra avó – afirmou, decidida.
– Depois que ela sair do hospital, quem sabe você não vai visitá-la junto com o papai, hein?

Os adultos têm mania de deixar tudo para depois, pensou Olívia de cara amarrada.

16

Para tentar se distrair um pouco, Olívia ficou se lembrando de como se divertia na casa da avó para onde iria depois da aula.

Lá ela gostava de ajudar a cuidar das plantas no jardim, porque a casa dessa outra avó era casa mesmo, e não apartamento, e tinha um jardim lindo, que a avó chamava de horta.

Um dia, as duas plantaram juntas manjericão e cebolinha, plantinhas que servem para temperar os alimentos. Toda vez que Olívia ficava com fome e pedia para a avó preparar alguma coisa, elas iam à horta colher temperos para usar na comida.

Essa outra avó de quem Olívia tanto gostava conhecia umas coisas meio esquisitas.

– Leila, vamos fazer pipoca com manteiga *iluminada* que nem da última vez?
A avó riu.
Ai... meu... Deus.
Olívia não gostava nem um pouco de que rissem dela.

– É *clarificada*, Olívia – corrigiu a avó, ainda rindo.
– Isso! – respondeu Olívia, e só não ficou com vontade de dizer que não queria mais pipoca nenhuma porque..., sabe como é?, ninguém resiste a uma pipoquinha.

A avó de Olívia gostava muito de livros e músicas e cantava umas canções antigas muito legais, da época em que ela era jovem. Olívia adorava aprender as letras dessas músicas e sempre pedia para escutar aquela que, não sabia bem por quê, lhe dava um friozinho na barriga.

Olívia e a avó, a mãe da mãe dela, gostavam de se sentar juntas no sofá depois do jantar. Assistiam às séries de que Olívia tanto falava e ficavam juntas no celular: Olívia ensinando a avó a jogar e salvar as figurinhas que ela mandava nas mensagens que trocavam; a avó ensinando Olívia a não acreditar de imediato nas informações que a gente encontra por aí, nas redes sociais. E, principalmente, a não ficar muito tempo no celular, para aproveitar a vida ao vivo e em cores.

Mas nem tudo eram só flores nessa relação.
E Olívia resolveu fazer mais uma tentativa.

– Mãe, toda vez que eu fico na casa da Lei... da vovó, ela quer me ensinar a sentar, ficar sem falar nada durante um tempão e prestar atenção na minha respiração – reclamou Olívia. – E isso é muuuito chato!!

Taí uma coisa que ela não conseguia entender: pra que prestar atenção na respiração se a gente podia respirar pensando em outra coisa qualquer?

– Não vai fazer mal você parar quieta um pouquinho – falou a mãe.

Na primeira vez em que isso tinha acontecido, a avó de Olívia quis ajudar a neta (nesta vida) para facilitar o processo.

– Vamos juntas, Olívia. Feche os olhos. Inspire. Expire.

– Peraí, o quê?

– Inspire. Expire.

– O que é isso?

– Inspire, coloque o ar para dentro, enchendo bem os pulmões. Expire, coloque o ar para fora, agora esvaziando os pulmões.

– Ah, tá – respondeu Olívia, fingindo que estava de olhos fechados.

Não era isso o que ela fazia o tempo todo?!

Mas... nenhum de seus argumentos havia convencido a mãe.

Então, naquela sexta-feira, depois da aula, Olívia entrou no ônibus escolar como sempre fazia, e seu João, o motorista, que era também um dos seus melhores amigos, logo disse a ela:

– Sua avó já deve estar esperando você, Olívia!

Seu João era muito legal e sempre sabia de tudo. Mas, naquele dia, Olívia estava meio emburrada e não quis nem perguntar o significado das placas de trânsito que iam vendo pelo caminho.

Luís Eduardo veio lhe mostrar o livro que ele estava lendo, e Olívia achou a história daquele garoto num colégio para bruxos meio longa, e Luís Eduardo disse que ela não entendia nada de livros!

Será que a vovó vai ter que tomar muitas injeções lá no hospital?

Carmem estava com uma pulseira muito maneira e tinha trazido uma idêntica para Olívia, para que todos pensassem que as duas pertenciam a um grupo ultrassecreto. Olívia achou esse negócio de grupo ultrassecreto meio bobo, e Carmem ficou chateada e deu a outra pulseira para a Fátima (logo para a Fátima, que dizia na cara de Olívia que meninas não deviam jogar futebol?!).

Será que a vovó está sentindo dor?

25

E Flávio perguntou se ela queria trocar as figurinhas repetidas do álbum da Copa, mas os dois brigaram porque não chegaram a um acordo sobre quantas figurinhas valia aquela superdifícil de encontrar, que faltava no álbum de Olívia.

Olívia ficou com vontade de dar um empurrão no Flávio, mas se controlou e foi se sentar sozinha, de braços cruzados e muito, mas muito mal-humorada mesmo.

Será que a vovó vai demorar a ficar boa?

O ônibus da escola parou na frente de uma casa.

A outra avó de Olívia já a esperava na calçada. E, quando Olívia a viu, de repente se sentiu mais animada.

Deu tchau para seu João antes de descer e correu na direção daquela mulher magrinha, com um sorriso largo no rosto, olhos brilhantes, roupas coloridas e macias e cabelos cinza.

– Leila!!!
– Oi, Olívia. Que bom que você está aqui. Seja bem-vinda.

Tudo começou muito bem. Beijos, abraços e o cheiro da vovó, que era bom demais.

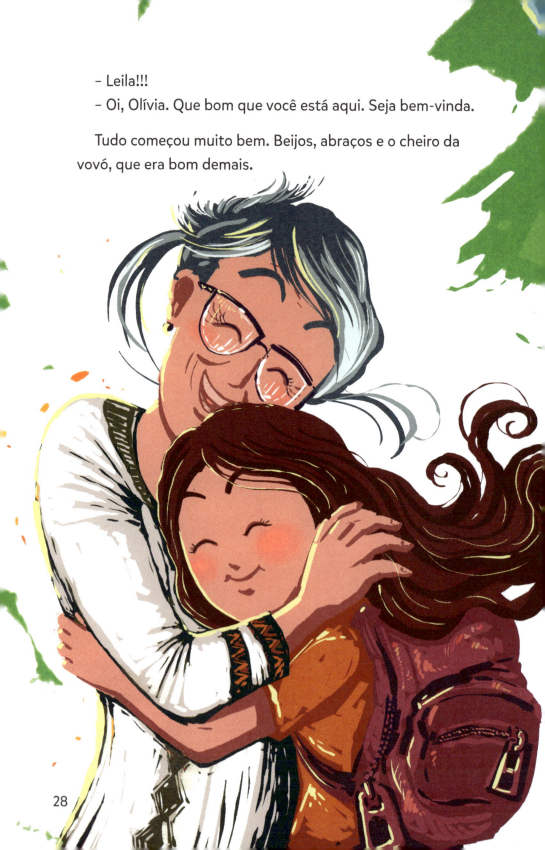

Mas, em seguida, veio o questionário habitual. E Olívia, sem um pingo de paciência naquele dia.

– Como você está, Olívia? Tem se alimentado bem? Dormido bem?

Ai, meu Deus, já ia começar a inspeção do Ministério da Saúde.

– Você tem feito os exercícios de respiração que ensinei a você?

Não, ela não tinha feito, nem se lembrava mais.

– Você parou de comer tanto queijo quente como eu sugeri?

Claro que não, ela adorava queijo quente e se pudesse comeria queijo quente no café da manhã, no almoço e no jantar.

– Olívia, não se esqueça: quando a gente cuida da saúde desde cedo, vive uma vida inteira com mais energia e bem-estar.

Mas a mãe vivia dizendo que ela tinha energia demais!

– Ô, Leila, dá para a gente falar de outra coisa? Acho esse negócio de saúde, alimentação e respiração meio chato.
– Claro, podemos falar do que você quiser.

Era verdade. Com essa avó, Olívia podia conversar sobre qualquer coisa:

Leila, é verdade que algumas das estrelas não existem mais, mesmo que a gente ainda veja o brilho delas lá no céu?

Leila, por que tem criança que vive na rua?

Leila, você fala de novo sobre os hippies que existiam quando você era jovem?

Mas... Olívia ainda não estava preparada para a grande conversa.

Mal as duas entraram em casa, Olívia saiu correndo para ver a já famosa horta.

– Olívia, foi muito bom você ter vindo hoje. Temos muito trabalho a fazer.

Começaram.

Primeiro, Olívia e a avó foram fazer mudinhas novas em rolinhos de papel higiênico.

Olívia adorava juntar as sementinhas depois de comer as suas frutas preferidas.

Enquanto iam trabalhando, a avó explicava:
– Quando as sementes brotarem e as raízes estiverem saindo pela parte de baixo do rolinho, é só colocarmos as novas plantinhas num vaso maior, com o rolinho e tudo. Assim a gente também produz menos lixo, porque o papelão se decompõe na terra. E isso é muito bom para a saúde do nosso planeta.

Sempre que a avó falava disso (e ela falava muito disso), Olívia imaginava a Terra espirrando e assoando o nariz.

Depois foram ver as mudinhas que tinham feito da outra vez que Olívia viera ficar com a avó.

Já havia algumas crescidas e prontas para serem transplantadas.

– Trans... o quê?!
– Para serem mudadas de lugar.

Quanto mais Olívia crescia, mais percebia que havia muitas novas palavras para serem aprendidas.

– Agora pegue as bolinhas de argila, Olívia. Vamos colocá-las no fundo dos vasos para evitar que a água fique empoçada ali, quando a gente regar a planta.

A avó de Olívia ensinou que a argila virava aquelas bolinhas depois de ser aquecida em temperaturas muito, mas muito altas mesmo e se expandir.

– Mais de quarenta graus? – perguntou Olívia, lembrando que a mãe ficava nervosa quando ela tinha febre de quarenta.

Dessa vez, a avó não aguentou e caiu na gargalhada mesmo.

– Bem mais de quarenta graus – disse, ainda sorrindo.

Acho que vou ser palhaça de circo quando crescer, pensou Olívia, com cara de poucos amigos.

As duas encheram os vasinhos com a terra já adubada.

– Aperte bem, Olívia. A terra tem que ficar compacta.
– O que é isso?
– Bem juntinha e firme.
– Ah, parecida com o arroz que o papai faz para mim.

Em seguida, abriram um buraco na terra, colocaram as mudas bem no centro do vaso e cobriram o rolinho com a terra. E fizeram a primeira rega.

– Quanto tempo demora para novas mudinhas começarem a crescer, Leila? – perguntou Olívia, ansiosa.
– Uns dias... ou semanas, às vezes até meses, depende. Tem um tempo certo para tudo na vida, Olívia – disse a avó.

Será que aquele era o tempo certo?

Mas, antes, Olívia resolveu pôr as ideias no lugar.

Ficou pulando corda no quintal e fez um desafio a si mesma: pular vinte vezes direto, sem tropeçar nenhuma vez, senão teria que começar a contagem de novo.

A avó entrou na competição também, e as duas riam cada vez que tropeçavam, mas deu "velha", ou seja, ninguém conseguiu vencer.

Depois Olívia quis dar estrelas na sala, e a avó até arrastou o sofá para que ela tivesse mais espaço.

Olívia contou uma, duas, três estrelas, mas depois perdeu a conta e ficou sem saber se tinha batido o seu próprio recorde.

Por fim, a caminho de completar quase uma década de vida, Olívia se sentiu meio cansada, pudera!, e foi se sentar no chão perto da estante cheia de livros da avó.

Escolheu um deles, leu o resumo que ficava na parte de trás e as três primeiras páginas. A história era legal, mas Olívia resolveu dar uma espiadinha no final para ver como acabava, porque... não havia tempo a perder.

– Hora de tomar banho, Olívia! – falou a avó.

Olívia largou o livro e foi para debaixo do chuveiro.

Lavou bem a cabeça, imitando o comercial de xampu que tinha visto na televisão.

A água fria que Olívia tanto amava (é verdade!) lavou muitas das minhocas que andavam pela sua cabeça. Mas algumas outras ficaram.

Depois do banho, mesmo já tendo nove anos e quase cento e oitenta dias de vida, Olívia deixou a avó enxugar bem e pentear os seus cabelos. Ela achava que ia gostar que penteassem os seus cabelos até ficar bem velhinha, um dia, não muito distante.

E então respirou fundo.

– Leila... você conhece a Lúcia, minha outra avó? – perguntou bem rápido.

– Não conheço, não, Olívia – respondeu a avó com calma.

– Mas como você acha que ela é?

– Ah, deixe eu ver... – disse a avó, colocando a mão no rosto de um jeito que mostrava que ela, mesmo que não soubesse a resposta, gostava de imaginar.

Olívia insistiu:

– Pode chutar...

– Acho que ela é uma mulher alta e com os mesmos olhos do seu pai.

Olívia gostou do que a avó disse e ficou um pouco mais tranquila.

Já era noite agora e as duas foram para a cozinha.

– Vamos jantar? – sugeriu a avó.

– O que tem para comer? – perguntou Olívia, só então se dando conta de que sua barriga roncava bem alto.

– Surpresa! – disse a avó, piscando o olho.

Leila tinha preparado um molho com tomates fresquinhos e as duas foram até a horta de novo e pegaram algumas folhinhas do manjericão, aquele que tinham plantado juntas algum tempo atrás.

Depois cozinharam o espaguete no ponto certo e misturaram bem, e num minuto, Olívia e a avó estavam sentadas à mesa.

Estava delicioso, e elas se lembraram de quando Olívia era pequena e gostava de comer espaguete imitando a Dama e o Vagabundo.

Criança tem cada uma!

Depois do jantar, lavaram a louça e, enquanto o sabão fazia espuma no prato, Olívia resolveu continuar a conversa.

– E, Leila, você sabe... por que a Lúcia e o papai brigaram?
– Bem... Acho que foi porque ela teve que fazer algo muito, muito difícil e importante, e ficou um pouco nervosa, então acabou se atrapalhando toda e fazendo algumas coisas erradas. E aí o seu pai ficou muito, muito zangado.

Olívia se lembrou do dia em que perdeu um pênalti na final do campeonato de futebol na escola. Logo ela, que fazia até gol de bicicleta. Mas o papai não tinha ficado chateado, não. Ele até chamou Olívia para tomar um sorvete depois do jogo. A Lúcia deve ter feito coisas muito erradas mesmo...

– Mas por que ela teve que fazer essas coisas erradas e deixar o papai tão zangado assim? – perguntou Olívia, já começando a ficar um pouquinho zangada com aquela avó que ela não conhecia.

– Acho que foi porque ela não parou um pouco e respirou fundo.

Ai, não! A Leila vai voltar para esses assuntos logo agora?...

– Se tivesse feito isso – continuou a avó – teria pensado numa maneira melhor de fazer o que ela tinha que fazer.

Agora elas já estavam secando e guardando a louça do jantar, mas a conversa ainda estava longe do fim.

– E por que o papai não desculpou a Lúcia? – perguntou Olívia. – Ele sempre diz que a gente tem que tentar desculpar quando alguém faz alguma coisa errada – disse, começando a ficar zangada com o pai também por não ter feito as pazes com a mãe dele.

Olívia estava com um nó na garganta e com um pouco de vontade de chorar.

– Porque às vezes a gente quer que as coisas continuem do jeito que elas sempre foram. E não sei se você sabe, mas os adultos fazem birra também – falou a avó, sorrindo com carinho.

Olívia se lembrou de que fez muita birra na primeira vez em que ficou sozinha com o pai na casa dele porque não queria ter duas casas.

A avó fez um chá muito cheiroso com ervas fresquinhas lá da horta, e Olívia começou a se sentir um pouco melhor.

– Tudo está sempre mudando, a vida é um movimento contínuo, e é bom que seja assim – falou a avó. – Veja você, por exemplo. Era bem pequenina quando nasceu e agora, olhe só! Está grande desse jeito.

Até que enfim alguém reconhecia isso!

– E você era mesmo uma bebê muito linda e fofinha – continuou a avó. – Já imaginou se a gente quisesse que você ficasse bebê para sempre??

Cruz-credo, pensou Olívia, ficar a vida inteira só mamando e chorando e sujando a fralda? Eca!

Olívia não tinha certeza de ter entendido tudo, mas aquela, com certeza, tinha sido a conversa mais importante da sua vida.

– O papai e a Lúcia têm muito o que aprender! Acho que não vou querer conhecer Lúcia nenhuma – falou Olívia com raiva. – E o papai... o papai também está precisando de uma lição – disse, planejando armar a maior birra do universo da próxima vez que fosse para a casa dele.

A avó riu.

Mas... será possível?!

Naquela noite, Olívia e a avó foram se sentar no sofá, mas não assistiram à televisão nem ficaram no celular.

– Quer deitar a cabeça aqui no meu colo? – perguntou a avó.

Olívia fez que sim com a cabeça.

Assim que Olívia se aconchegou, a avó começou a acariciar os seus cabelos.

Olívia respirou fundo e depois soltou o ar bem devagar.

Ei?! E não é que ela tinha mesmo aprendido os tais exercícios que a avó lhe ensinara?

– Uma vez, Olívia, eu li uma história de um rei que viveu há muitos e muitos anos... – falou a avó.

Por que será que uma boa parte das histórias sempre começa com esse negócio de "há muitos e muitos anos"?, pensou Olívia com vontade de reclamar daquilo, mas a voz da vovó era tão suave que ela deixou para lá.

– Era a história de um rei que aprendeu algo muito, muito importante.

A vovó está mesmo com mania de "muito, muito" hoje, pensou Olívia, sentindo os olhos cada vez mais pesados.

Esse rei era um homem bom, muito justo e corajoso, mas teve que enfrentar o rei de um reino vizinho numa batalha e acabou ferindo-o gravemente. Quando jovens, os dois tinham sido muito amigos, mas se desentenderam e acabaram declarando guerra um ao outro.

O rei bom, muito justo e corajoso saiu vitorioso da batalha e, enquanto todo o reino comemorava a derrota do reino vizinho, ele se sentia triste e arrependido por ter ferido o antigo amigo. Então resolveu ir até as montanhas fazer um ritual de penitência.

– O que é isso? – perguntou Olívia, lutando contra o sono.
– Bem... – começou a avó –, é quando passamos um tempo sozinhos, pensando no que fizemos, no que podemos melhorar em nós mesmos.
– Ah, já sei. É aquela coisa de ir pensar no quarto que a mamãe adora.
– Isso – respondeu a avó, tentando não rir.

– Mas o que eu mais gosto nessa história, Olívia – continuou a avó –, foi a resposta que o rei deu à rainha quando ela lhe perguntou por que ele estava tão arrependido. Ele disse assim:

O outro rei era um homem muito sábio e valoroso. Eu me arrependo de termos brigado e de tê-lo ferido. Uma roseira tem mais espinhos do que rosas, mas quando olhamos para ela, sentimos o perfume das flores e a chamamos de roseira e não de espinheira. Uma mangueira tem mais folhas do que mangas, mas quando olhamos para ela, imaginamos a doçura das mangas e a chamamos de mangueira e não de árvore de folhas. Todos nós temos alguns espinhos e muitas folhas, mas, se nos olharmos e só virmos isso uns nos outros, nunca conheceremos o que há de mais verdadeiro em nós mesmos. Precisamos sempre reconhecer nossos frutos e flores.

E Leila acrescentou:

— O seu pai e a Lúcia passaram muitos anos só vendo os espinhos e as folhas um do outro. Acho que a gente podia bolar um plano para ajudá-los a verem as flores e os frutos, que tal?

Dessa vez foi Olívia quem sorriu, pensando na sua outra avó-rosa (que agora ela já conhecia um pouco mais) e no seu pai-manga.

– Essa é uma história muito bonita, Olívia. Quando você ficar um pouco maior, posso emprestar esse livro a você. Mas é para ler tudo, tá? Do início ao fim – disse a avó, piscando o olho.

– Ah... tá bom – respondeu Olívia, com um sorrisinho amarelo.

Caramba! E não é que a Leila sabia que ela às vezes lia o fim dos livros primeiro?

– Sabe – continuou a avó –, acho que você tem razão: o que faltou foi a Lúcia pedir desculpas ao seu pai, e o seu pai aceitar o pedido de desculpas dela. Isso é sempre bom. Faz a raiva passar mais rápido.

Será que lá no hospital a vovó conseguiu pedir desculpas ao papai? Será que ele aceitou? Tomara que sim.

Já estava tão tarde, que Olívia nem reclamou quando a avó disse que estava na hora de ir para a cama.

Escovou os dentes em silêncio.

Abraçou e beijou a vovó antes de ir para o quarto, então ficou deitada na cama olhando as estrelas no céu (ou só o brilho delas?) que via pela janela e sentindo o cheiro dos temperos que vinha lá da horta.

No dia seguinte, Olívia abriu os olhos. Estava na casa da Leila, não tinha se esquecido disso durante o sono, não.

Saiu do quarto e foi encontrar a avó na horta.

– Oi, Olívia, bom dia! Dormiu bem?
Olívia fez que sim com a cabeça.
– Chegue aqui perto, deixe eu lhe mostrar uma coisa incrível.

Olívia ficou curiosa e acabou de acordar por completo.

– Olhe só isso! Já apareceu um brotinho numa das mudas que fizemos ontem.

– Mas... você não disse que ia levar uns dias, semanas ou meses?

A avó riu. Naquele instante, sem saber direito por quê, Olívia decidiu que não iria mais se importar que as pessoas rissem dela.

– Às vezes é assim mesmo, Olívia. As coisas crescem do dia para a noite.

A avó sabia do que estava falando. Olívia estava mesmo se sentindo um pouco mais alta naquela manhã.

– Vamos tomar café?

– Vamos! – exclamou Olívia, morrendo de fome. – Posso comer queijo quente?

A **Izabel**, que escreveu este livro, desde menina adora ir à praia e andar de bicicleta. Para ela, dar um mergulho no mar e sentir o ventinho batendo no rosto quando a gente pedala forte são umas das melhores sensações do mundo. Quando era criança, Izabel tinha muita dificuldade de parar quieta e, quando tinha que ler um livro, fazia igualzinho à Olívia: lia o final primeiro. Se ela ficasse curiosa com o que tinha acontecido, voltava e... tentava ler tudo. Os anos se passaram e Izabel acabou aprendendo a se concentrar, passou também a gostar muito de ler e, adivinhe!, hoje em dia trabalha como editora de livros. Agora está até se aventurando a escrever alguns também.

O **Eduardo**, que ilustrou este livro, adora desenhar castelos, reis, rainhas, princesas e dragões gigantescos. Desde criança, ele desenha o tempo todo e, hoje em dia, trabalha como ilustrador profissional e já fez desenhos para livros, cartazes, anúncios, revistas em quadrinhos e capas de disco. Quando não está desenhando, gosta de criar músicas esquisitas com seu teclado. Algumas têm até letras que falam de dragões e cavaleiros medievais. Depois de algumas boas horas de música, Eduardo gosta de encontrar seus amigos para conversar e trocar altas ideias. Muitas vezes se comunica apenas com figurinhas fofinhas de WhatsApp, mas também gosta muito de usar as palavras.

ESTE LIVRO FOI COMPOSTO EM MIKADO,
CORPO 12 PT, PARA A EDITORA PINGO DE OURO.